Wild Words

[世界の不思議な自然のことば]

文／ケイト・ホッジス
イラスト／ヤン・シオ・マーン
訳／前田まゆみ

かんき出版

Originally published in English by HarperCollinsPublishersLtd.
under the title:
WILD WORDS

© 2021 Kate Hodges
Translation © KANKI PUBLISHING
Translated under licece from HarperCollins Publishers Ltd.
through The English Agency (Japan) Ltd.
The author asserts the moral right to be acknowledged as the author of this work.

ローナとコリン、ジェフ、
アーサーとダスティへ

はじめに

「ことば」には力が宿ります。樹木や動物、天気や自然現象に名前が与えられると、その存在、そして世界のどこにそれがあるのかを知ることができます。逆に、そのような自然の事物や現象は、失われていくこともあります。だから、それを書きとめ、消えてしまいそうな記憶のかけらを集めるために、その言葉が必要なのかもしれません。

　世界中の言語が必要な単語や表現を創り出しました。スコットランドでは400を超える雪に関する言葉があります。一方、マレーシアのジャハイ語では、自然の中のにおいを絶妙に表現する語彙を豊富にもっています。もし、天候や文化、そして野外での安全のために必要となれば、言葉はとても細やかに本質を詳しく伝えてくれます。

　わたしたちの抱く自然界への思慕は、言葉を通してより強くなります。今、わたしは英語のsmeuseスムーズという言葉に親しんでいます。それは、生垣や壁の間を小動物が通るときにできた小さなすき間という意味です。そして、今暮らしているイギリスのサセックス郊外の田舎道を歩くとき、垣根の下のほうをいつも見て、ついそれを探してしまうのです。

　わたしたちは自然の中にあるものを、言葉を通して表現することで、実際に手が届くものにします。そして、その言葉を使うことで森羅万象を鮮やかに生き生きと感じとることができます。言葉があるから森羅万象について考え、お互いにさまざまな考えをやりとりできるのです。

　世界中のいろいろな言葉を選ぶ作業は、机に座りながら、地球上の森羅万象の神秘に気づくことでした。この本のための勉強中、わたしは脳内で地球上のもっとも厳かな場所へ遠く旅しました。中国の洞窟で岩が不思議な形に姿を変えていくのを眺め、魔法のように光るキノコに驚き、ドイツの丘で魔女とダンスを踊り、トランペット形の花から花へと飛び回っては蜜を吸うハチドリを眺めました。

Mistpoefferミストプファー「海鳴り」──霧につつまれた海から聞こえるドーンという低い爆発音のような音。科学者もいまだに解明できないという不思議な自然現象──これについても学び、極北の光にまつわるフィンランドの魔術的な神話に魅せられました。自然を体で感じることから生まれた考えは、大きなインスピレーションを与えてくれます。ひたすら野外でのんびり過ごすことが、自然を楽しむこのうえない方法だとわかったし、イタリアのmeriggiareメリッジャーレという美学から、午後のけだるい居眠りをばっちり正当化できることも知りました。

　ここで見つけた世界中の言葉は、人間と生態系とのとても繊細な関係も教えてくれます。マオリ人が実践する狩りや収穫を一定期間禁止するラーフイという営みは、精神的なものであるだけでなく、絶え間なく資源を奪い取ろうとする人間と闘うために、自然界にとっても必要です。

　これらの言葉はわたしたちと地球の関係、そしてわたしたちの行くべき道を教えてくれます。「人間と自然の辞書」とも呼べるこのテーマは、人間の活動と自然とが意図せず出会い影響し合う中で、それらを結ぶための新しい言葉を作り出す作業かもしれません。それは、人間による自然破壊に対する言語世界での盾、つまり自省にもなるでしょう。

　言葉が、色やにおい、味、そして音などのさまざまな感覚の入り混じった虹を祈りとともに見せてくれることにも心動きます。ぜひ、ヤン・シオ・マーンさんのイラストとともにこの本の世界に浸ってください。きっと、読者のみなさんをそんな感覚の世界にお誘いできることでしょう。
　みなさんに、見たことのない風景を目にし、違う文化の世界に入ってみていただけたらと願っています。それが、絶え間なく移りゆく森羅万象のさまざまな美しい現象をのぞくための小さな窓になりますように。

ケイト・ホッジス

目次

ブックデザイン／西垂水敦・市川さつき（krran）
タイトル英文書き文字／前田まゆみ
DTP／Office SASAI

Uitwaaien

owt-vye-en　アウトワーイエン

Dutch
オランダ語　動詞

　文字どおり訳すと「吹き飛ばす」という意味のことばです。

　オランダの人は、これをおもに「精神的、また肉体的に癒やされるために何かをする」という意味に使います。

　もし、ストレスが溜まっていたり、頭の中をリセットしたかったり、もしくは肌がかさかさ、だらけた日常生活でメタボになった、エアコンに当たりすぎ、という状態に陥ったら、外に飛び出して強い風に吹かれて、新鮮な空気を吸い込めば、そんな問題は吹き飛ばしてもらえます。

　オランダといえば、どこまでも空が広がる平原の国というイメージ。

　だから、強い風の吹きつける場所を見つけるのには困りません。

　瞑想するか、ジョギングで体内の血流を活発にするか、それとも顔を風に当てて笑顔になってみるかは、自分しだいです。

　ほんの5分程度、そよ風の中で「アウトワーイエン」するだけでも、心身にからみついた蜘蛛の巣は吹き飛ばされ、清々しさを取り戻した心と体で、また世界と向き合えるでしょう。

Rāhui

rah-hoo-ee　ラーフイ

Māori

マオリ語　名詞、動詞

「ラーフイ」は、暮らしの中でできることに神聖さを重ね合わせた、「禁」
によって資源を守る取り組みです。

　畑の土がくたびれきってしまったとき、しばらくの間、植えつけをやめた
り場所を区切ったりするなど、土壌の回復を促します。また、川で魚の乱獲
が起きたときは、禁漁期間をもうけて川の生態系を回復させます。

　ラーフイでは畏敬の念をこめ、たとえば死の起きた場所や政治的に重要な
場所を囲い、印をつけることもあります。そして、儀式を執り行い、神聖な
魂がおりてきたことを具体的に示すポウ・ラーフイと呼ばれるまっすぐな柱
を地上に立てます。

　現在では、いくつかの「ラーフイ」が法律で定められています。

Mångata

mo-an-gaa-tah　モーンガータ

Swedish
スウェーデン語　名詞

「モーンガータ」は、月が水面に映し出す銀色の道のような光の反射を意味します。

　この言葉は、スウェーデン語の måne（月）と gata（道）が合わさったもので、澄み切って鮮やかなイメージを呼び起こしてくれます。

　英語には、似た意味で「glitter path」（きらめく道）という言葉がありますが、こちらは太陽が水面に反射してできる光の道をさします。

　船乗りにとって、モーンガータは航海の道しるべになります。モーンガータの幅が広ければ広いほど波が高いことが予測でき、つまりそのエリアは水深が浅いとわかるのです。

　まばゆい月明かり、雲ひとつないくっきりと晴れた空、そしてどこまでも広がる海がパノラマのように見えてきます。

Sugar weather

shu-garr we-ther　シュガー ウェザー

Canadian English
カナダ英語　名詞

　文化を織物にたとえてみましょう。カナダのそれは、葉が国旗にもデザインされているメイプルの木が織りこまれているといえそうです。

　みんなが大好きな、代表的なパンケーキのトッピングは、春先に収穫するメイプルの樹液から作られるメイプルシロップです。その時期は、頬を照らす太陽の光にやさしい温もりが感じられるようになりつつも、夜はまだ気温が厳しく氷点下まで下がる、眠るときには毛布が手放せない季節。

　収穫された樹液は大きな鍋でぐつぐつ煮詰められます。キッチンの窓から漂う甘い香りが、森の静けさの中いっぱいに広がります。その香りが、この春先の壊れやすいやさしさをもった繊細な天気を言い表す「シュガー ウェザー」という言葉を生み出しました。

Oubaitori 桜梅桃李

oh-buy-toe-ree　オウバイトウリ

Japanese
日本語　四字熟語

　4つの漢字からなるこの四字熟語は、その花の美しさでよく知られている近縁の4種類の花木、桜、梅、桃、李の名前の四重奏です。

　桜は春に美しい花をみごとに咲かせ、梅は冬の終わりに咲いてきます。桃は魔除けとなり、長寿を促すとも言われ、李は忍耐強さを表すとされます。

　13世紀の僧侶、日蓮は、「桜、梅、桃、李にはそれぞれの資質がある」と語りました（『御義口伝』より）。「桜梅桃李」はそこから生まれた言葉です。

　これらの4種類の花が、それぞれ違う繊細な特徴をもつように、人もそれぞれ唯一無二の人格をもっています。

　わたしたちは、他人と自分を比べることで人生の時間を無駄に費やす必要はなく、自分が自分自身であることを大切にすればよいはずです。

Akua

ah-koo-ah　アクア

Hawaiian
ハワイ語　名詞

　ハワイ語は、月の満ち欠けと重ねてそれぞれの日を表現する30の言葉を
もっています。

　糸のように細い月をさす「ヒロ」から、もとは「花開く」という意味で満
ちていく月をさす「モーハル」、そして卵もしくは果実という意味をさす
「フア」までさまざまです。

　「アクア」は4日ほど続く満月の中でも、とくに2日めの満月の日を呼ぶ言
葉で、神、女神の意味があります。

　満月の豊潤な乳白色の輝きは古くから漁に最適と考えられ、その日は神々
が捧げ物と交換に、豊漁を約束するとされていました。ひと月の中でも一番
大切な時期です。

　月の満ち欠けによって数えられる暦のそれぞれの日は、漁師や船乗りに
とって重要で、潮の流れや収穫、また植えつけなどにも影響します。

　古代ハワイの暦は、惑星の運行にもとづき、日ではなく夜を数えます。西
洋では1か月約30日の太陽の暦を7日間からなる週に分けるのに対し、ハワ
イでは月の暦で29日と少しのひと月が、3つの「アナフル」という10日間
に分けられ、月の満ち欠けに対応しています。

Ag borradh

egg-borrar　エグ ボラ

Irish Gaelic
アイルランド・ゲール語　名詞

　才能きらめくアイルランドの作家ジョン・ドナヒューは、「エグ ボラ」を「叫び出すほどに力満ちつつある命の波動」と訳しました。

　この言葉は、今まさに土をかき分け地上に芽を出そうとしている球根や、子羊をみごもってはちきれんばかりの羊のお腹、はにかみながらも花が開きかけている純白のスノードロップの蕾、掘り起こしたばかりのふっくらした野蒜の根に歯を立てたときの辛みなどを思い起こさせてくれます。

　日本でちょうど節分のころにあたる2月2日が、アイルランドとイギリスではキリスト教で聖燭祭（キャンドルマス）、またケルトの信仰でインボルクと呼ばれる春の訪れを祝うお祭りの日です。このお祭りでは、春の芽吹きや、日が差す時間が日に日に長くなり大地に力が満ちてくることを祝います。大地の恵みと農耕によって命をつなげてきた人々にとって、大切な道しるべです。

　季節はたしかにしっかりとめぐり、豊かな恵みに満ちあふれた春がまた訪れます。

Sirimiri/Chipichipi /Rimjhim

si-ri-mi-ri/chipee-chipee/rim-jim　シリミリ／チピチピ／リムジム

Spanish/Mexican/Sanskrit
スペイン語／メキシコ語／サンスクリット語　名詞

　しとしと降る小雨。その雨音は、さまざまな言語の中で耳をくすぐるリズミカルな「オノマトペ」（擬音語）の言葉を生み出しています。

　シリミリ、チピピピピ、ピチチチチ、リムジム……

　これらの言葉は、灼けつくように熱せられていた屋根に、小さな水滴がぽつぽつと染みをつけていく様子や、木のてっぺんで葉をくすぐるように降り注ぐやさしいシャワーのような雨や、焼けつくような暑さが続いたある朝、窓の外の天気からこのうえなくやさしいささやき声が聞こえたような気がして目覚める瞬間、そういったことを思い起こさせてくれます。

　それは霧でしょうか、それとも雨？

　これらの言葉の従兄弟のような、もっと湿って冷たいイメージの言葉として英語には mizzle（ミズル）があり、かすみの立ち込める霧雨を意味しています。

Murr-ma

mer-ma　ムルマ

Wagiman
ワギマン語　動詞

　ワギマン語は消滅の危機に瀕している言語で、オーストラリア領北部に住むひと握りの高齢者だけが話すものとして残っています。この複雑で豊かな古代語が、同じ地域のほかのどの言語ともはっきりとした違いがあることを思うと、あと数十年以内に絶滅すると言われていることは悲劇そのものです。
　「ムルマ」は、足だけを使って水の中で何かを探すことをさします。浅瀬の珊瑚礁で、温度の高い水を波立たせながらゆっくりと歩く、夏の涼のイメージを思い起こさせてくれます。
　この言葉の発音は、つま先あたりを流れていく小さな海水の渦巻きのように、口のまわりで寄せては返すような響きをもちます。足のあたりには、いったい何が見つかるのでしょう？　貝？　宝物？　それとも、戸惑っている小さな蟹？

Gluggaveður

glook-ah-vay-therr　ガヴェードゥル

Icelandic

アイスランド語　名詞

　直訳すると「窓の外の天気」をさします。居心地のいい室内に座って窓から眺めるのには美しいけれど、実際にほんの少しの間でもその中に立つと、とても心地よいとはいえない日という意味です。

　吹雪は一番わかりやすい例でしょう。コーヒーのマグカップを手に、温かな部屋から眺めるおとぎ話のワンシーンのような光景。けれども、最高の防寒着にくるまって外に繰り出したが最後、ずぶぬれになって凍りそうな悪夢がはじまります。

　この言葉は、極端な気候の中で培われた人間の知恵を含んでいます。天気を侮るなかれ。もしその中に出ていくのなら、できる限りの準備をすべし。

　そういうことです。

Beija-flor

bay-jar florr　ベイジャ・フロール

Portuguese
ポルトガル語　名詞

　小さな宝石のようなハチドリは、鳥なのに、まるで昆虫のようです。

　その翼が奏でるひそやかな振動音が、ハミングバードという英語名の由来になりました。

　時速45マイルという驚くほどの速さで花から花へと飛び回り、長い筒のような舌を使って、10〜15秒ごとに蜜を吸います。それは、1羽が1日に何千個もの花を訪れる計算です。

　ポルトガル語では、この鳥を「ベイジャ・フロール」と呼びます。これは、その生き物自身と同じくらい美しく繊細な言葉です。ベイジャはキス、フロールは花という意味。つまり、ハチドリが蜜を吸うときの優美な作法を描写しているのです。

Soseol 소살

soh-si-al　ソサル

Korean
韓国語　名詞

「ソサル」は、腕をいっぱい広げて、めいっぱい空を見上げ、その冬はじめて降る雪を待つ日のことをさします。

　直訳すると「小さな雪」という意味で、韓国の暦では11月22日か23日が初雪を見る日とされています。

　ロマンティックな人たちの間では、その冬はじめてちらつく雪の日を恋人と一緒にむかえられたら、その相手といつまでも一緒にいられると信じられています。このため、韓国の映画やテレビドラマでは、恋人たちが雪に覆われた白い冬景色の中でキスしているシーンがよく登場します。

　また、この日に願い事をすれば、それがかなうとも言われています。

Akash Ganga आकाशगंगा

akash-ganj-ah　アーカーシュ ガンガー

Sanskrit

サンスクリット語　名詞

　サンスクリット語は、世界でもっとも美しい言語のひとつです。神聖で癒やしにつながる、そして複雑で哲学的な概念を、とてもエレガントに言い表すことができます。

　自然の中で見つかるさまざまな驚きを詩的にとらえる地方言語でもあり、たとえば銀河を呼ぶ名前が10個もあります。

　その中には穏やかでゆっくりした銀河をさすマンダキニや、インドのさまざまなほかの言語の中でも使われる「アーカーシュ ガンガー」があります。

　直訳すると「空の（ガンジス川）」という意味で、アーカーシュは空、ガンガーは神聖で銀河のような大河、ガンジス川をさしています。

Mistpoeffer

mist-perfer　ミストプファー

Dutch

オランダ語　名詞

　ドーン、ドーン。「ミストプファー」は海辺、または湖や川などの水べりでもやの中から聞こえる、体の奥に響くような大きな謎の音をさしています。

　世界中に見られるこの現象はどのようにして起きるのか、科学的にまだじゅうぶんに解明されていません。仮説としては、太陽風、ガスの泡が立てる音、地下で起きている地震活動、隕石という説までさまざまです。

　説明のつかないこのドカーンという雷鳴のような音は、地響きを感じるほどの大きな音です。日本では、この音は海が叫ぶというイメージで「海鳴り」と呼ばれ、フランスでは canons de mer（海の砲撃）、英語圏では skyquakes（空振）、またアメリカでは seneca guns（セネカの銃砲）という言葉などがあります。

　1851年、アメリカの作家ジェイムズ・フェニモア・クーパーは、秋にニュージャージー州キャットスキル山脈で聞こえるこの音を、「大きく重い大砲の砲撃の音に似ていて、今まで知られている自然の法則ではまったく説明ができない」と書いています。

Ghurfa غرفة

goo-hr-far　グルファ

Arabic

アラビア語　名詞

アラビア語は、厳しく乾燥した砂漠で暮らしを営む世界観の中で結晶化された言語です。

「手のひらにすくえる量の水」という意味をもつ言葉があるのも、驚くことではないのでしょう。「グルファ」は直訳すると、「空っぽの手のひら」という意味です。

コーランに、アッラーが王として認めたタールートが軍勢をひき連れて出立つときの言葉として、このような文があります。

「アッラーの神は川であなたを試す。その水を飲む者は、わたしの兵ではない。その水を味わおうとしない者は、わたしの兵である。ただし、手のひらでひとすくい汲んで、すする者は別である」

Plaheng plʔɛŋ

pla-engh　プラエング

Jahai

ジャハイ語　名詞

言語はそれを話す人たちが必要とする方向へ発達します。たとえば、英語には何千もの色を表す言葉があるのに対して、においについてはほとんどないといえます。

けれども、マレーシアのペラクという地域に暮らす原住民の一言語、ジャハイ語では、においを表す言葉にかなり焦点が合わせられています。「プラエング」（虎を惹きつける、血のようなにおい）は、つぶれたシラミやリスなど、血のにおいに対してよく使われてきました。また、「チェンガス」（刺すようなにおい）は、野生のマンゴーや生姜の根、コウモリがねぐらにする洞窟、コウモリの糞、そして煙と石油のにおいなどを言い表すのに使います。

それぞれのにおいを的確に表す言葉のパレットは、ジャハイの人々にとって生命線です。それは彼らが狩猟によって暮らし、虎に代表される危険な捕食動物に襲われないよう、においを消す必要があったからでしょう。

Mono no aware もののあはれ

mo-nor nor awarr-ey　モノノアハレ

Japanese
日本語　慣用句

　毎年、満開の桜がつくりだす繊細なパステルピンクのもやが、公園や山の縁など日本のいたるところで、本格的な春の訪れを告げます。

　その光景自体が、もちろん胸にせまる美しさです。ただ同時に、ほんの1〜2週間ほどでその花はすっかり散るであろうという儚さの喪失感もすでに含まれます。それによって、花の美しさの恍惚感には小さなひびも入っているのです。

　美の移ろいやすさを知ることは、「もののあはれ」（直訳するとものごとのもつ悲しみ）という考え方の根本にあるものです。このほろにがい、自然が見せてくれるつかの間の完璧なまでの美しさを愛でる世界観は、もっと幅広く、命、老い、そして死を見つめる際にもあらわれてきます。

Arc de Sant Martí

ark duh sant martee　アルク・ダ・サン・マルティ

Catalan
カタルーニャ語　名詞

　科学がクールなまなざしで論理的な説明を与えてくれる前、雲の間に浮かぶ七色の弧、つまりアーチ形の眺めは、ほとんど魔法のように見えていたはずです。この現象について、世界各地でさまざまな民話が生まれていることは、まったく不思議ではありません。

　カタルーニャの伝説では、カトリックの聖人で戦士でもあった聖マルティが、悪魔に対峙して謎かけをしました。悪魔と聖マルティは、空を横切る弓を作り出そうということになったのです。聖マルティは草を紡いで七色の鮮やかな弓を作り、悪魔は氷を使ってもっと小さく無色の弓を作りました。双方が互いにできたものをじっと見ている間に、氷の弓は溶けてなくなってしまいました。

　この伝説は、虹の内側にもう一本薄い虹が見えるときの説明になっています。そして、七色の美しい虹は、これを作った聖人の名前を冠して「アルク・ダ・サン・マルティ（聖マルティの弓）」と呼ばれているのです。

Alimuóm

a-lee-moo-om　アリームーオム

Tagalog
タガログ語　名詞

　太陽で地面が熱せられているとき、強い雨が降って立ち上るやわらかな土の香りをさす言葉です。

　この香りにはどこか神秘的な魅力があり、その夏はじめての重くたれこめる雨雲を見ると、人々は思わず鼻をくんくんさせます。そして、香水作りに携わる調香師たちは、このなんともいえないほろ苦さをもつ香りを求めてやみません。

　タガログ語はフィリピンで使われるたくさんの言語の中心です。その中には mapagsagap ng alimuóm（雨のあと地面に立ち上る空気を吸い込む）という熟語があり、これは噂話の意味です。また、フィリピンでは「アリームーオム」の香りは胃痛を起こすという言い伝えもあります。

　英語には同じ意味をもつ petrichor ペトリコールという言葉があり、これは1960年代にオーストラリアの研究者によって創出された新語です。

Crepuscular

crepp-usk-u-lah　クリパスキュラァ

English
英語　形容詞

太陽が地平線の向こうに身を沈めたあと、ピンク色とオレンジ色の輝きが
やがて青インク色の空へと移りゆくまでの間、景色をつつみます。

このうっすらにじんだやさしい色は、昼と夜の間、つまり夜明けまたは夕
暮れに行動する生き物たちの活動を促します。このような生き物たちを、英
語で「クリパスキュラァ（薄明薄暮性）」と呼びます（語源はラテン語で
「薄明かり」を意味する crepusculum という言葉）。

納屋にひそむフクロウは、バンシーと呼ばれる不気味な妖精のように、葉
を落とした骨格のような木々の枝の間を、羽をはためかせ飛び回ります。ま
た、土蛍（蛍の幼虫）は茂みの中で妖しくぼんやりと光り、ネズミは小道を
せかせかと走り回っています。クリパスキュラァの中でも、とくに夕方の薄
明かりの中でだけ活動する生き物たちは vespertine、明け方の薄明かりに
活動する生き物たちは matutinal と呼ばれています。

Waldeinsamkeit

valt-ine-sam-kite　ヴァルトアインザームカイト

German
ドイツ語　名詞

　森の中をひとりで歩く穏やかな感覚は、格別なもの。英語で書き表すなら、The peaceful feeling of wandering alone in a forest と９つの単語が必要です。けれども、これがドイツ語では森を表す wald と、孤独という意味の einsamkeit が合わさって、このひとつの単語にまとまっているのです。

　森の中でひとり「無」になることは、ドイツでは健やかで満ち足りた気持ちになるための、費用も何もいらない方法だと考えられています。

　背の高い針葉樹に囲まれ、空に広がる星のじゅうたん、青々と茂る草の茂みや木々に覆われた壮大な谷を眺めることで、自分が小さな存在であることを感じとれるという意味を含んでいます。

　そして、この言葉はしっとりと露に濡れた松やキノコのにおい、小動物が小枝を踏んで忙しく動き回る足音などを思い起こさせてくれます。さらに、自分をひとり自由に森羅万象の中に解放し、思索したり計画を練ったりすることもできるし、無限の宇宙の中でのちっぽけな自分を実感することもできるのです。

Will-o'-the-Wisp

will-oh thur wisp　　ウィル・オ・ザ・ウィスプ

English
英語　名詞

　沼地や湿地に浮かぶ、青白い炎のような妖しい光を呼ぶ言葉です。イギリスとアメリカ大陸のいくつかの地域では、悪意をもつ精霊が何も知らない旅人を水の中に誘いこむものと信じられています。メキシコではそれは「brujas」（魔法使い）、コロンビアでは悪い老婆の魂をさす La Candileja、またブラジルでは boi-tatá（猛り狂う蛇）と呼ばれています。

　また、スカンディナヴィアやヨーロッパ北部では、その光は妖精が埋めた、もしくは沼に沈めた宝物のありかをさし、その炎が燃えている間のみそれを取り出すことができるとも言われています。

　科学では、この現象はリン化水素、ジフォスファン、そしてメタンなどの有機的な発光物質が燃焼しているのではないかと説明します。それらしい気もしますが、本当のところはわかりません。

Godhuli गोधूलि

god-hooli　ゴドゥーリー

Bengali
ベンガル語　名詞

　映画に出てきそうなこの言葉は、直訳すると「牛が立てる埃」という意味です。日が沈んだあと、1日中草を食べていた牛の群れが牛舎に戻るとき、牛のゲップが夕焼け色の空気に作り出すもやのことをさします。

　「ゴドゥーリー」は、サンスクリット語で牛を意味する go と、埃を意味する dhuli からできています。ヒンズー教では生命のシンボルとみなされ崇められる牛のイメージから、1日のこの時間帯特有の、魔術めいた神聖な自然の光景が映し出されます。

　1日の終わりの黄色みの強いオレンジ色の光、1日中太陽に炙られていた大地から立ち上る雲のような土煙。そこに加わる獣のにおい、のんびりとした牛のゲップ、そして、牛を追う牧童たちの呼び声を強く思い起こさせる言葉です。

Meriggiare

merry-jar-ay　メリッジャーレ

Italian
イタリア語　動詞

　いい天気の日のお昼どき、日陰でゆったりとくつろぐ贅沢な喜びが、この
イタリア語にぎゅっと凝縮されています。

　正午を意味する meriggio からの派生語で、頭の真上から照る太陽によっ
てピークを迎えつつある暑さと、テントやパラソルの下でそこから逃れるひ
とときをイメージさせます。

　イタリアの習慣として、とくに農業に携わる人にとって大切な午後の午睡
の時間。そのとき、本をそばに、背の高いグラスに入った冷たい炭酸の飲み
物をもって時間を過ごすことを意味します。暮らしの中の日常的な言葉以上
に詩的なイメージも強く、イタリアの詩人エウジェニオ・モンターレの有名
な詩のタイトルにもなっています。

Dalalæða

da-lar-leth-err　ダラライダ

Icelandic
アイスランド語　名詞

　アイスランドはたくさんの神話に彩られた国です。トロールと呼ばれる人をだます人、大きな金槌を振り回す神、猫がひく車にのって夜空を駆け巡る女神。

　それらのお話は、人々の足元に広がる温泉やフィヨルド、スカンディナヴィアの山々から生まれてきたものです。

「ダラライダ」は直訳すると、「こそこそした谷」。ゆっくりと峡谷の底までを覆っていくような、腰まである深い霧を意味しています。条件が合えば（この現象は日中あたたかだった日の穏やかな夜によく見られます）、そそり立つ kletturs（岩）の縁を滑り降りて、霧の滝のように見えます。ドラマティックで、神秘的な、天上のものを思わせる光景は、感覚を刺激してくれる眺めです。

Hexenringe

hex-en-rin-ge　ヘクセンリンゲ

German
ドイツ語　名詞

　毎年4月30日の Walpurgisnacht と呼ばれる日、ドイツでは魔法使いたちがほうきに乗ってハルツ山脈の頂上のブロッケンに集まり、悪魔と一緒にはげしいダンスを踊ります。

　魔法使いのおばあさんたちが絶え間なくステップを踏む場所には輪のような形ができ、それを「ヘクセンリンゲ（魔法使いの輪）」、英語では fairly rings（妖精の輪）と呼びます。

　実際にはキノコによってできるこの形は、ヨーロッパ全土でさまざまな超自然的な言い伝えを生んできました。

　オランダの人々は、悪魔が大きな牛乳の缶をこの輪の中にしまっていると考えました。また、オーストリアの人々は、この輪は龍のしっぽの先によって地面が燃えてできたと信じていました。ブリテン島では、この輪の中に足を踏み入れたら、力尽きて気が狂うか、または死んでしまうまで人と踊らなくてはならないと言われていました。

Skábma

skarrb-ma スカーマ

Sámi

サーミ語　名詞

　サーミと呼ばれる少数民族は、スカンディナヴィア半島の最北端と、ロシアの極西部に暮らしています。サーミの人々は北極のすぐそばで生活しているため、冬になると1か月以上、太陽がまったく地平線の上に姿を見せない期間を過ごします。これを極夜、もしくは「影のない日々」と呼んでいます。

　サーミの人々はこの暗闇の時期を忌み嫌うのではなく、大切に愛でて過ごします。

「スカーマ」は、家族が火のまわりに集まって編み物をしたり、語り合ったり、笑い合ったりして過ごす、居心地のいい時間です。この時期は、手芸や野菜の酢漬を作る以外にはほとんど何もせず過ごしても、罪悪感を覚えなくていいのです。ただろうそくを灯し、室内でのんびりしたり、または外に出てクロスカントリースキーに興じたり、氷に穴を開けて釣りをしたりします。

　太陽は姿を見せないけれど、その光は雲の上を舞い、また雪もそれを映しています。それは、この時期を1年の中でもっとも神秘的に感じさせます。

　ゆっくり、ゆっくり、光はまた戻ってきてくれます。サーミの人々は、それをこんなふうに表現します。「雷鳥が歩く歩幅のように、昼が少しずつ長くなっていく」

Smultronställe

smul-tron-stellar　スムトンステッレ

Swedish
スウェーデン語　名詞

直訳すると、「野いちごがある場所」。

けれど、この言葉はたしかに甘い香りの漂う野草の生い茂る場所をさすと同時に、もっと心の奥深くに響きわたるような意味をもっています。

スウェーデン語を話す人々は、「ひとりになって静けさの中で幸せを感じられる秘密の場所」という意味で使います。そこは山の上かもしれないし、お気に入りの公園のベンチ、または街中の裏通りだったりするかもしれません。野いちごのイメージは言葉としては素敵ですが、実際にそういう場になくてはならないわけでもないのです。

この感性はスウェーデン文化に深く浸透しています。スウェーデンの伝説的ともいえる映画監督イングマール・ベルイマンは、Smultronstället〔邦題『野いちご』〕という映画で、この言葉のもつ実際の意味と、そのもうひとつの意味を両方とも描いています。

Revontulet

ray-von-tyu-lett　レヴォントゥレット

Finnish
フィンランド語　名詞複数形

　絶え間なく姿を変えながら成層圏の中で揺れ動く北の光、つまりオーロラ
は、まぎれもなく自然が見せてくれるもっとも美しい光景のひとつでしょう。
　フィンランドでは、この現象を「レヴォントゥレット（狐火）」と呼びます。
フィンランドの神話では、tulikettu という名の魔法を使う狐がこの七色の光
の織物を作ったので、その狐は猟師からずっと追われていました。そして、
狐が谷を横切って逃げるときに、その燃えさかる尾によって雪の野原から雪
の結晶が空へと舞い上がり、尾が帯びていた静電気のために、天空は炎につ
つまれたのです。また、狐が山々に触れると、火の粉が夜空にはげしく飛び
散りました。
　古代フィンランド語の「魔法」を意味する言葉は、「狐」を意味する言葉
とよく似ていることから、レヴォントゥレットは「狐火」ではなく「魔法の
火」という意味とも言われています。

Komorebi 木漏れ日

kom-or-ray-bee　コモレビ

Japanese
日本語　名詞

　森を聖堂にたとえるなら、「木漏れ日」はステンドグラスから差し込む明るい日の光です。その光は畏敬の念を呼び起こし、木々の下に広がる草地を照らしながら、木の枝の荘厳なシルエットを浮かび上がらせます。もしくは、木の葉の間をそっと通り抜け、ちらちらとした光の舞を作り出すのです。

　この言葉は、光と影のコントラストを深く映し出します。明暗が互いに作用し合い、つかの間の美しさを見せてくれるのです。

　「森林浴」と呼ばれるセラピー的な営みは、日本ではとても人気があります。たぶん「木漏れ日」は入浴剤のような作用があるでしょう。森にすっかり浸りながら歩く時間を、より「受容される」ものにしてくれます。

　この言葉は、漢字の「木」「漏れる」、太陽の光をさす「日」という意味が合わさってできています。

Matahari

mat-ar harr-ee　マタ・ハリ

––––––––––––––––––

Malayan and Indonesian
マレー語／インドネシア語　名詞

　多くの東南アジアの言語で太陽をさす言葉は、直訳すると「昼間の目」という意味をもっています。タイ語では tá（目）wan（昼）、フィジー語では mata ni siga（昼の顔）、そして、マレー語、インドネシア語では mata（目）hari（昼）になります。

　わたしたちに光を与えてくれる存在は、目のように丸く、自分が照らす地上を見つめているのです。

「マタ・ハリ」といえば、オランダのエキゾチックなダンサーで、第一次世界大戦の有名な女スパイだったマルハレータ・ヘールトロイダ・ゼレが、この言葉をコードネームとして使っていたことがよく知られています。

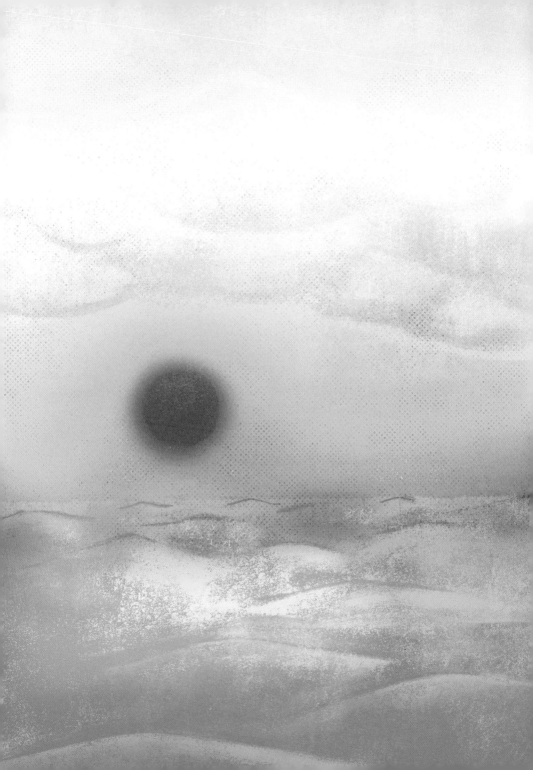

Zubato sunce

zoo-bat-oh sance　ズーバト・スンツェ

Serbian and many Balkan languages
セルビア語のほかバルカン半島の言語　名詞

　冬の日の光はまばゆいけれど、わたしたちを温めてくれる力はごく限られたものです。バルカン半島全体で、この目くらましのような光は「ズーバト・スンツェ（牙をむく太陽）」という言葉で知られています。

　家の中から見ると、太陽はわたしたちを誘っているように見えます。でも、一歩外に出ると、どれほど気温が低く寒いかを思い知ることになるのです。この言葉は、太陽がわたしたちの指を無防備にさせ、まるでかじられたみたいにズキズキ痛む霜焼けにさせる太陽を擬人化したものと言われています。

　また、もともと英語の "biting cold"（噛みつく寒さ）と近い語源をもっているのではという説もあります。凍るような寒さで牙をむいて襲いかかってくる、赤ずきんの童話に出てくる狼のようなイメージかもしれません。

Dadirri

dah-did-ee　*ダディリ*

===========================

Ngan'gikurunggurr and Ngen'giwumirri
アボリジナルの言語　名詞

　自然の中に心の静けさを見つけることは、世界共通でごくふつうのこと。とくに、オーストラリアのダリ川周辺の地域に暮らすアボリジナルの人々が野生の自然の中に足を踏み入れ、心の中にある深い悟りの泉に浸ることは、「ダディリ」と呼ばれています。

　それは「深く耳を傾ける」ことであり、なにか実際に行動をするわけではありません。たとえばさらさらと鳴る葉ずれの音や、虫たちの羽音、そしてときには大地の静けさなど、「大地の音と共鳴し合う」状態になり、自然界と深くつながることを意味します。

Opplett

op-let　オップレット

Norwegian
ノルウェー語　名詞

　ノルウェーの西海岸地方は、雨が多いことで知られています。ベルゲンという町では、年間降水量が2200mmに達し、丘のふもとに位置する町々で3000mmを超えることもあります（たとえば、ロンドンでは年間降水量は500〜600mm、ニューヨークでは710〜1600mm）。＊

　このため、その合間に輝く日の光は、人々のいっぱいの笑顔で迎えられます。「オップレット」はシャワーの小休止を意味し、数分の間、光が差すことを表します。そして、ノルウェーの人々は、この短い時間を両手いっぱいに抱きとめて楽しむことに関して、玄人の域に達しています。"Det er opplett ute!"（太陽を楽しもう！）というかけ声のとおり、グラスに飲み物が半分入っていれば、「いっぱい入っている」と受けとめる類の楽天性ともいえます。たとえ短い間でも、良いところを精一杯生かして、その瞬間を前向きに生きようという気持ちです。

＊東京では年によってばらつきがあるが、1000〜2000mmの間、2000mmを超えるのは稀。

Gökotta

zho-koh-tar　ヨークオッタ

Swedish
スウェーデン語　名詞

夜が明け、朝の光を愛でるように、ピーピー、チーチーとさえずる小鳥たちの歌声は、自然の目覚まし時計です。

日の出の1時間ほど前から歌いはじめるのは、メスを誘うオスたちの声。歌うのが上手なオスは良い相手を見つけることができるそうです。春先、チーチー、クックッとさかんに歌う鳥たちのコンサートはとても印象的です。

スウェーデンでは、やさしい光の日の出を求めて早朝、自然の中に出かけ、鳥たちの声に耳を澄ますことが美しい伝統です。そして、この神秘的な時間を言い表す「ヨークオッタ（早朝のカッコー）」という言葉があるのです。

Sternschnuppe

shtairn-shnoop-ah　シュテルンシュヌッペ

German
ドイツ語　名詞

　世界のどこから眺めても、流れ星は神秘的な美しさをもっています。けれども、見えるのはほんの一瞬で、すぐに消えてしまいます。

　流れ星は宇宙の塵_{ちり}のかけらや小さな岩が、地球の大気圏の上層を通るときに燃焼することで光ります。

　この物語的なドイツ語の言葉は、直訳すると「星屑の煙」となり、Schnuppeは11〜14世紀ごろの高地ドイツ語で「焦げた、もしくは燃え尽きたろうそくの芯」を意味します。

　ドイツでは流れ星に願いごとをし、それを誰にも言わなければその秘密の願いがかなうと信じられています。

Hanyauku

harn-yoh-ku　ハンヨークー

==

Rukwangali
ルクワンガリ語　動詞

　　ルクワンガリ語はアフリカのナミビアで話されている言語で、ナミビアは国土の面積のうち広い範囲がナミブ砂漠に覆われています。「ハンヨークー」は「熱い砂の上をつま先で歩く」という意味で、ナミビアで使う語彙の矢筒の中におさまる、生き生きとした一本の矢と言えるでしょう。

　　はつらつとした3音節からなるこの言葉は、音が意味とつながるタイプの言葉で、ホップ、ステップ、ジャンプとか、エイ、エイ、オー！　のような感じ。つまり、裸足で灼けつく砂浜の上を歩いていく人の動きを示唆しています。それはきっと、足の裏がやけどしそうに熱いはず。なんという苦境でしょう。とにかく大慌てでダッシュして走っていくか、それとも注意深くゆっくり足を進めるか、どちらでしょう。

Víðsýni

vith-see-nee　ヴィズスィーニ

Icelandic
アイスランド語　形容詞

　アイスランドはどちらかというと樹木の少ない国です。そのため、どこか荒涼としたドラマティックな風景が広がっています。

　「ヴィズスィーニ」は「広々として地平線まで続く、パノラマのような眺め」を意味します。

　険しい山をへとへとになって登りきったとき、そんなドラマティックな景色が目の前に広がっていたら、脳内にエンドルフィンが分泌されてくらくらする感覚を味わえそうです。

　そのような意味に加えて、アイスランド語を話す人々は、この言葉を「視野が広い」心の大きさのたとえとして使います。アイスランドで高く評価される、そういう資質から若くして選ばれた女性首相は、今、地球規模の環境対策の先陣をきっています。

Pukh Пух

pukh　プーフ

―――――――――――――

Russian
ロシア語　名詞

6月モスクワにいたら、街は「プーフ」と呼ばれる、ポプラの木が飛ばした種に覆われています。

直訳すると「ふわふわした」という意味で、この綿のような「夏の雪」は街を完全につつみます。集合住宅にも、また車の上にも積もったり、髪の毛の中やありとあらゆる体のすき間に入り込んできたりします。この種はとても燃えやすいため、危険物認定されています。プーフが燃えることは脅威で、道にはその注意喚起のためのポスターが貼られています。

ただ、6月の終わりにはこの嵐はおさまります。

また、プーフはとても有名なクマの名前としても知られています。というのは、ロシアでは「くまのプーさん」は「ヴィンニー・プーフ」と呼ばれているからです。

Murmuration

murr-murr-a-shun　マーマレイション

English
英語　名詞

「マーマレイション」は「うなる音」という意味がありますが、同時にムクドリの群れをあらわす集合名詞です。にぎやかにさえずるムクドリは、いたるところで見ることができますが、空では神秘的な群れを作ります。

　ムクドリの群れは早朝と夕暮れに活動し、お互いにまるでテレパシーで通じ合っているかのようです。何十万羽にもなる巨大な群れは、後ろへ前へ、渦巻きを作るようにして全体がひとつの意思をもつかのように集まって飛びます。素早く方向を変え、猛スピードになったかと思うと輪を作ります。

　ムクドリは世界各地でふつうに見られる鳥です。この自然の神秘を感じさせる群れの動きは、群れが木に止まって休む前、もしくは休んでいた木々から飛び立ったばかりのときにあらわれます。

　科学者たちは、それぞれの個体は一番近くを飛ぶ個体の動きにほとんど光の速さで反応し、この電光のような速さで動く集団ができあがると考えています。

　大きな群れは捕食者から襲われにくく、個体同士のコミュニケーションの場になり、体温を守ることもできます。日の出、日の入りの約1時間前に一番乗りをめざしてあらわれ、自然界に起きる素晴らしいスペクタクルを見せてくれるのです。

Yowe-tremmle

yow trem-el　ヤオ トレメル

Scottish
スコットランド語　名詞

　スコットランドでは、羊のモコモコの毛が刈り取られたあとの６月に、寒い天気が訪れることがあります。

　羊の群れは寒さで震え、真冬に泳ぐ人のようにやせ細り、メエメエ鳴いています。この冷たい天気は古いスコットランド語で「ヤオ トレメル」と呼ばれ、直訳すると「震える雌羊」という意味です。

　世界中で人々は天気のパターンを知り、それに名前をつけて呼んだり、歌ったりしています。スコットランドでは、カッコーが訪れる３日間のgowk's storm という期間があり、また５月１日ごろにやってくる冷たい天気は gab o' Mey と呼びます。

　特定の日の天気は、もっと複雑なことを語ることがあります。

　イギリスでは２月２日のキャンドルマスがもし晴れだったら、それ以後の冬の日々はひどい天気に覆われると考えられています。でも、その日が冷たい雨の降る日になれば、そのあとの数週間はもっと過ごしやすくなると言われるのです。

　また、同じく２月２日のアメリカの「グラウンドホッグデー（地リスの日）」は、同じようにそのあとに続く冬の天気の激しさを予告しますが、それはこのイギリスの言い伝えからきていると思われます。

Hoppípolla

hoppy pollar　ホッピーポットラ

=======================================

Icelandic
アイスランド語　動詞

「ホッピーポットラ」は、歩きながら楽しく飛び跳ねることをあらわす合成語です。アイスランドのオルタナティブ・ロックバンド、シガー・ロスが2005年にリリースしたアルバムのタイトルでもあり、歌詞にも登場するホッピーポットラという言葉が広まりました。

　このバンドの歌詞のほとんどはアイスランド語で書かれていますが、いくつかは彼ら自身が作り出した新言語Vonlenska（希望の国語という意味）で書かれています。

　ホッピーポットラも作り出された造語のようですが、とても必要とされていた言葉です。なにしろ、水たまりで飛び跳ねて、ぱしゃぱしゃと水しぶきを立てて遊ぶのがつまらないなんて人がいるでしょうか？

　この言葉は、言語がどう進化するかを見せてくれる良い例となり、いずれ、アイスランドで日常的に使われる口語辞典に掲載されるかもしれません。

Dumbledore

dum-bl-dorr　ダンブルドア

English
英語　名詞

　ずんぐりしてふわふわした毛につつまれ、うちわのような小さな羽をもつマルハナバチは、エレガントな生き物とは言い難い雰囲気。その重たそうで、なんとなくぶかっこうなブズズズと音を立てる飛び方と、まるまるとした外見が「bumblebee」バンブルビーという名前の音にあらわれています。

　bumblebee のもとは、18世紀にマルハナバチをさした言葉である「ダンブルドア」と考えられます。この言葉はとても想像力をかきたてられるもので、J.K. ローリングが『ハリー・ポッター』シリーズの中で使っています。アルバス・ダンブルドア、つまりホグワーツの人気者の校長先生の名前になっているのです。

　ローリングはこう語っています。

「ダンブルドアは音楽が大好きです。彼はいつも一人で鼻歌を歌っているイメージです」

Porosha пороша

porr-osh-ar　ポローシャ

Russian
ロシア語　名詞

　ロシア語には、雪を表す言葉が少なくとも100ほどあります。その多くは地方の方言です。たとえば tselyak は透明感のある言葉で「無傷で痕を残さない雪」をさします。それに対して slyakot はあまり良いイメージではなく、「泥と混じり合ったぐちゃぐちゃに湿った雪」を意味します。

　「ポローシャ」は息をのむような美しさ。「風のない、どこまでも静かな夜に音もなく降り積もった無垢の雪」の上に、鳥や動物の足跡だけが残っているようなイメージです。

　それは見た途端、「わあ！」と叫んで、コートと長靴でその中に飛び出していきたくなる白銀の世界。歓声とともに、ご近所さんたちもみんな外に出て、雪合戦やそり遊びがはじまりそうです。

Dauwtrappen

dow-trappen　ダウトラッペン

Dutch
オランダ語　動詞

　オランダには、昇天日としてキリストの昇天を祝う伝統があります。復活祭の日曜日の40日後となるその日には、人々は早起きしてハイキングやサイクリングに出かけます。

　「ダウトラッペン」は「露を踏んで歩く」という意味で、その習慣の起源は古くさかのぼります。当時の人々は午前3時に起きて裸足で露に濡れた草を踏み、春の新しい命の訪れを祝ってダンスをし、健康のために草の葉の上にたまる小さな水滴の恵みを享受しました。

　多くの文化圏で、春先の露は癒やしの効果があるとされています。イギリスでは、5月1日に草を濡らす露で顔を拭くと、次の年は肌の状態が完璧によくなると言われています。

Sēnlín 森林

sen-lin　センリン

Mandarin
北京語　名詞

　北京語は、音だけでなく視覚的な美しい文字をもつ言語です。

　木という漢字は現代の北京語では木材という意味がありますが、古くは樹木という意味でした。このため、この字を2つ並べると「木立」、もしくは「人工林」という意味になり、さらに3つ並べると、もっと太陽の光を遮るような密度で木が自然に生育している「森」になります。そして、それらの文字が合わさって木が5つある言葉となると、鬱蒼とした広大な「センリン（森林）」になるのです。

Hiraeth

here-eyeth　ヒラエス

Welsh
ウェールズ語　名詞

「ヒラエス」はホームシックを意味しますが、ある種の精神的なことをさします。

　それは心のふるさとを思い慕う、憂いを含む痛みであり、もう記憶の中にしか残っていない、すでに存在しないどこかの場所に焦がれてしまう郷愁_{（きょうしゅう）}をさしています。

　それはウェールズの人々の心の中に、谷を流れる小川のように脈々と流れています。このやさしくささやきかけるような言葉は、心の状態を呼び起こすだけではありません。ごつごつとワイルドで、神話的な霧につつまれたウェールズという土地のもつ自然をも呼び起こします。霧雨に濡れる岩や滝のある風景、赤茶色の鳶_{（トビ）}と枝に止まって眠っているヒタキなどの鳥たちへの郷愁が、この言葉にはこめられているのです。

Calabobos

cal-a-bob-oss　カラボボス

Spanish
スペイン語　名詞

　天気はずるい仕掛けをこっそり隠しもっています。いつも細かい霧雨につつまれているスペイン北部の海岸地域では、それは雨のようにはまったく思えません。だから、上着や傘なんていらないという気になります。雨は降りそうになくて、邪魔になりそう。

　けれども、ほんの数分間その霧雨の中にいるだけで、濡れそぼって肌にはりつき、気持ちはすっかりしょんぼりしてしまいます。

　「ずぶ濡れのおばかさん」を意味する「カラボボス」は、この天気でずぶ濡れになる可能性を低く見積もってしまった、「世間知らず」の人を表しています。

Poronkusema

porron-kuss-emma　ポロンクセマ

====================

Finnish
フィンランド語　名詞

　フィンランド語の語彙には、1000以上ものトナカイに関連した言葉があります。それはつまり、フィンランドの文化や暮らし、そして歴史の中でトナカイがとても重要な位置を占めてきたことを表しています。

　Leami は背が低くてよく太ったメスのトナカイ、busat は睾丸がひとつしかないオスのトナカイの意味です。北極圏の距離を測る単位として、「ポロンクセマ（直訳するとトナカイが途中でおしっこをする）」は、休憩をしないで元気に移動できる距離を表し、それはだいたい7.5㎞です。

　また、そのほかにサーミ特有の距離の単位を表す peninkulma という言葉があり、これは静かな空間で犬の吠え声が届く距離で約10㎞です。

Upepo

uu-pe-poh　ウペポ

Swahili

スワヒリ語　名詞

　ケニアとタンザニアのつねに熱く湿った気候の中で、そよそよ吹く風はさわやかな救いです。「ウペポ」は「風」を意味し、kupunga upepo は新鮮な空気を呼吸して心身を整えること。厳しい baridi upepo（冷たい風）より望まれるものです。

　スワヒリ語を使う人々にとっては、髪が少し乱れたまま白い砂浜の上で休息したり、やさしい海の風が静かに揺らすボートの中に寝転んだりすることなどを思い起こさせる言葉です。

Éloize

el-was　エロワーズ

Acadian French
アカディア・フランス語　名詞

「エロワーズ」は、カナダ南東部で話されているフランス語のひとつである
アカディア語のことばです。英語でいうところの Heat lightning（熱い稲妻）
という意味。この言葉の文字は、それが示す現象に似ているように見えるの
は美しいことです。Ｚの文字が、紙の上を走る雷光のように見えませんか？
　雷鳴をともなわない稲妻のことで、地平線上で不気味にピカッと光ります。
この音のない嵐は熱によって起きるとも考えられていますが、音がないのは
観測者から純粋に距離が遠いのが理由です。この光は暖かく晴れた夜にあら
われます。というのも、天気がいいと外でそれを見る人も多いため、観測さ
れやすいのです。

Cynefin

cuh-ner-vin　クネビン

Welsh
ウェールズ語　名詞

　このウェールズ語の言葉は、ざっくり訳すと「生息地」という意味ですが、実際はもう少し複雑なニュアンスがあります。農業用語の「demand paths」（けもの道）、つまり動物が踏むことによってできる自然の道という言葉が起源です。それは誰かが育てられ、家にいるようにくつろげる場を表しているのです。

　何年もそこで過ごした自然と自分との間には、ひと言では語れない関係性が育まれます。そこは自分がいるべき場所であり、心のふるさとなのです。

Flori de gheaţă

floor-ee day ghee-artar　フローリ・デ・ゲアツァ

===================================

Romanian

ルーマニア語　名詞

　寒さが厳しくて、窓のガラスが一重となると、室内を温かく保つのはひとつの闘いです。けれども、その厳しさに立ち向かう甲斐はあります。というのも、目覚めたときに窓枠に霜が美しい模様を描き出すことがあるからです。

　この模様が幾何学的でシダの葉のようなパターンをもっているため、ルーマニアの人々は、これを「フローリ・デ・ゲアツァ（氷の花）」と呼んでいます。

　これは室内で水蒸気が濃縮されて窓ガラスにたまり、まわりの壁よりも速く熱伝導が起こることで生まれます。

Yambi

yam-bee　ヤンビ

Manchu
満州語　名詞

　満州語は、かつては中国の公用語でしたが、今では話す人が1000人以下になりました。

　けれども、その言語による書は「絹のように優美」と賞され、ほとんど絵に近いとみなされています。

　ヤンビは「立ち上る」という意味で、日没のすぐあとの静かな時間に立ち上る夕暮れ時の薄いもやをあらわしています。そのイメージは、ヤンビそのものと同じくらい穏やかでやさしく、世界の営みが凪いで、畑や草原から水蒸気がゆったりと空へと立ち上ろうとしている情景を思い起こさせてくれます。

Tükörsima

took-er shee-ma　トゥコェルシマ

====================

Hungarian
ハンガリー語　名詞

　直訳すると「鏡のように平ら」となる、この「トゥコェルシマ」という言葉は、もっとも静かな水の状態を言い表しています。海に面していない土地に暮らすハンガリーの人々は、湖や池のほとりを憩いの場にしています。

　そして、中欧ヨーロッパ最大の淡水湖であるバラトン湖は、ハンガリー中でもっともよく知られている人気の美しい観光地です。

　どこまでも静かな天気の日、湖の水が、風や泳ぐ人、それに水鳥などによって波立っていないとき、湖面はまるで鏡のように、青い空に浮かぶ雲とまわりを囲むなだらかな丘の風景を映し出します。この言葉の音がもつ、さらさらゆらめくような印象は、その意味と響き合いながら、わたしたちにその深い静けさをおすそ分けしてくれているようです。

Zhōngrǔ-shí 钟乳石

(zong-ru-shee) and Shí-sùn 石笋 (shee-sun)
ジョンルーシー

Mandarin
北京語　名詞

　北京語では鍾乳石と石笋は、はっきりと区別されています。英語でいえば stalagmite は「岩が作る笋」で、stalactice は上からつららのように成長している岩です。

　北京語で stalactite を意味する「ジョンルーシー（鍾乳石）」は、ぶら下がる釣鍾形の突起をさし、「シースン（石笋）」のほうは、まさに地面から芽を出してぐんぐんと大きくなろうとする植物のイメージ。

　洞窟の中で歯のようにとがって、あるものは上から吊り下がり、または下から上へと向かって成長していく岩は、洞窟の天井から滴る水に含まれる方解石とミネラルによって作られます。

　中国にはこんな古い言い回しがあります。「つねに滴る水は石をも穿つ」。けれども、鍾乳石も石笋も、実際には滴る水が石を作り出すこともあるという見本です。

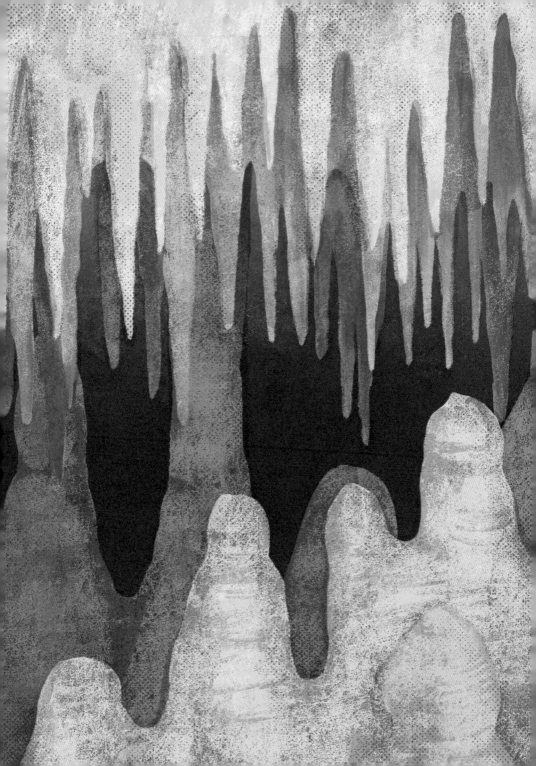

Qanisqineq

kkan-is-kkin-ekk　カニスキンエック

===================================

Yupik

ユピック語　名詞

　20世紀のはじめから、エスキモー＝アリュートの人々の言語には、50から100、もしくはそれ以上の雪をさす言葉があると言われ続けていました。その仮説は、それが本当だとわかるまで何度も繰り返し提唱されました。イギリスのシンガーソングライター、ケイト・ブッシュも「50 Words For Snow」というタイトルのアルバムをリリースしたほどです。その説は、とくに過去数十年の間、何度もこうだ、ああだと言われてきました。

　このグループの言語の中で雪をさす言葉がいくつくらいあるのか考えるとき、問題となったのは定義に関することでした。つまり、地域の方言はどれくらい数に入れるべきなのか？　奥深い意味をもつ言葉はその中に含めていいのか？　そして、「雪」という定義はいったいどこからどこまでなのか？　というような問題です。

　カニスキンエックは純粋な語幹となる言葉のひとつで、美しい意味をもっています。アラスカの南西部で話されているイヌイットの言語のひとつ、ユピック語で、落ちてきた雪の塊が水の上に浮かんでいる様子を表しています。

　今の時代、水の上を雪の塊が漂っていたら、船のエンジントラブルの原因になってしまうかもしれません。けれども、古来、漁師は降ったばかりのやわらかい雪を溶かし、飲み水にしていたのです。

Lieko

lee-ay-ko　リエコ

Finnish
フィンランド語　名詞

　一説では、フィンランド国内だけでとても多くの木があり、その数を世界人口で割ると、一人当たり10本の木がある計算になるようです。昔からこのような森は、精神的にもとても大切なものでした。

　それは、神々を祀るための場所でした。首都のヘルシンキは、森と手つかずの自然に囲まれています。ですから、フィンランド語では木に関連する言葉が何百もあることは、まったく不思議ではありません。

　古フィンランド語の「リエコ」は、湖や沼地に倒れた木を意味する美しく的確な言葉です。それは、かすかな悲しみとともに葉が積もる水の中で、水に洗われた黄色い幹が沈んでいる様子を思い起こさせてくれます。森の中で立派に闘っていたその木は倒れ、冷たい水の底に沈んで視界から消え、静かに朽ちていくのです。

Fox-fire

fox fy-ar　フォックスファイヤー

English
英語　名詞

　科学が発達する前の世界では、暗闇でキノコが光を放っている様子は神秘的なため、魔法と思われていました。ですから、キノコの仲間がそれにかかわるさまざまな迷信や民話に彩られているのも無理もないこと。

　この発光生物の存在という異次元的な現象は、最初にアリストテレスが「触れると冷たい光」と記録しています。

　イギリスでは光るキノコはほとんど見られませんが、世界ではふつうに見られ、森の中を妖しく照らします。ハロウィンのかぼちゃの呼び名でもある「jack o'lanterns」、「bleeding fairy helmets」（血を流す妖精のヘルメット）などとも呼ばれています。英語でこのような光を「フォックスファイヤー（きつね火）」と呼んでいますが、これは古フランス語の fol（にせもの）からきていると思われます。

Volta

vol-tar　ヴォルタ

=====================

Greek
ギリシャ語　名詞

　さわやかな夏の夕方、海の向こうにゆったりと太陽が沈んでいく絵のような光景。

　きらきら差す光の中、のんびり歩く人々がお互いに挨拶し合います。

　ギリシャでは、こんな散歩を「ヴォルタ」と呼びます。ハイキングのように本格的ではなく、また平日の日課というより週末にのんびり、ぶらぶらするような散歩です。

　ギリシャ語では、pame volta は「ひとまわりしよう」という意味になります。自然とのふれあいを楽しみ、ストレスの多い目標設定はせず、軽い運動をすること。ちょっとした社交でもあり、まわりの自然を愛で、リラックスできるのです。

　1日の終わりに心を落ち着かせる、なんと完璧な方法でしょう。

Eglė

egg-ahl　エグレ

Lithuanian
リトアニア語　名詞

リトアニアの伝説では、「エグレ」は蛇たちの女王の名前で、海の底にある王国の王子に変身する蛇が登場する、残酷な復讐劇でもあるおとぎ話のヒロインです。

物語のクライマックスで、愛する夫のための怒りと悲しみで、エグレは彼女の家族を木に変えてしまいます。息子たちはそれぞれ樫（カシ）、トネリコ、樺（カバ）に、そして娘は枝をふるわせるポプラの木に。そして、彼女自身はトウヒの木に姿を変えます。

リトアニアでは、トウヒの木は魔女、死、そして不幸と関連づけられ、今もその枝をお墓に置く習慣が残っています。

Stjerneklart

styern-er-klart　スティヤーネクラート

Norwegian
ノルウェー語　名詞

　自然が夜空の天井に見せてくれる、無数の星がぶら下がっている光景は、畏怖とインスピレーションに満ちあふれ、自分のちっぽけさを感じられるものです。

　無限にも見える星のまたたきが照らす、どこまでも続く夜の闇を見ると、心が震えるのをおさえられません。

　人口密度が低く、広大なフィヨルドが広がるノルウェーでは、星を見るのに完璧な場所が何万平方キロもあります。「スティヤーネクラート（星の輝き）」というノルウェー語の言葉は、その偉大さと神秘、そして荘厳な美しさを的確に意味している言葉です。

Feefle

fee-ful　フィフレ

===============================

Scottish

スコットランド語　名詞

　エスキモー＝アリュート語では、50以上の雪を表す言葉があると言われていますが（120ページ参照）、スコットランドのグラスゴー大学の研究者は、スコットランドには少なくとも421語もあるとしています。

　軽やかなシャワーのように降る雪 flindrikin や、溶けかけた雪 snaw-broo、また gramschoch は嵐になる直前の雪模様、skelf は雪のかけら、そして何百もの吹雪に関する言葉。

　なかでもとてもイメージをかきたてる言葉は「フィフレ（渦巻く雪）」で、チャールズ・ディケンズの小説に出てきそうです。煉瓦の壁の陰から小さな竜巻のように巻き上がったり、松の木の根元あたりに吹いたりする雪の嵐という意味合いです。やや散文的な味気ない言い方をすると、この言葉の語源は feef（よくないにおいのかすかなひと吹き）と考えられています。

Rudenėja

roo-den-ay-ha　ルデネヤ

Lithuanian
リトアニア語　動詞

　直訳すると「秋らしくなる」という意味ですが、もっと奥深い響きがあります。

　ゆったりした穏やかな夏の日々がキリッと引き締まり、張り詰めた空気感の日々に変化していく意味合いがあるのです。

　緑色だった葉の縁が少しずつオレンジ色に変わり、焚き火の香りが風に混じるようになると、秋の虫が草むらで飛び跳ね、またスパイシーな焼きリンゴの香りも漂います。冬の果実酒のためにその年の最初の霜が降りたばかりのスモモや、ジャムを作るためのベリーを摘む季節。それはこれからはじまる薄暗い冬の毎日を楽しむための作業です。

　そして、もう少し掘り下げると、「ルデネヤ」はある種のメランコリーな要素ももっています。それは失われていく若い青春の夏の日、つまり時間がいっそう速く過ぎようとしているというイメージもあります。冷たい冬が訪れ、指がかじかむ前に、太陽の光で頬が温まるのを感じる最後の時間を表しているのです。

Isblink

ees-blink　イースブリンク

Swedish
スウェーデン語　名詞

航海士たちは、昔から自然の現象を観測し、目的地の方向を安全に見定めることに役立ててきました。

「イースブリンク」は北極海の水平線上に、とくに雲の下が白く光る現象を意味しています。これが見えると、はるか彼方のその方向に、氷に覆われた陸地があることがわかりました。というのも、この光は氷が太陽の光を反射して雲の下部を照らして見えるものだからです。逆に、どこまでも暗い水のような空は、その方向に陸地が何もないことを示していました。

この現象は、ノルウェー人の北極探検家フリチョフ・ナンセンが、1893年に失敗してしまった北極探検で航行の目印にしたものです。

Kapel капель

kar-pyel　カペーリ

Russian
ロシア語　名詞

シーッ、聞こえる？　何かが溶けだした？

ポト、ポト、ポト……氷が溶けだして水の雫となって落ちるその音は、太陽が地上を暖め、雪解けがはじまる合図です。

ポツポツという水の滴る音に目を覚ます朝の輝きは、ロシア中を明るい気持ちでつつみます。擬音語として、「カペーリ（雪解けの雫）」というロシア語の澄んだ響きの言葉は、緑が萌え、陽光の差す春の日々がもうすぐそこまで訪れているという前向きな気持ちを含んでいます。

Chelidonian

chell-i-donian　チェリドニアン

English
英語　形容詞

Chelidon はもともとギリシャ語でツバメの意味です。

フォークのような尾をもち、空中を滑るように飛ぶこの鳥は、春の訪れを知らせてくれます。多くの人々にとって、この渡り鳥がまた戻ってきたことに気づくのは嬉しく、救われる気持ちがします。自然が刻んだ時計で季節はめぐり、暖かくのんびりとした日々が、またはじまる知らせなのです。

「チェリドニアン」はツバメという言葉が形容詞に変化したもの。かぐわしくやさしく吹くツバメ風 Chelidonian winds、つまり春風の中に、この鳥のはっきりとしたシルエットが舞っています。その風は、ツバメたちが空中を素早く滑るような航空ショーを演じるのを助けてくれるのです。

Friluftsliv

free-loofts-liv　フリールフツリーヴ

====================

Norwegian
ノルウェー語　名詞

　スカンディナヴィアでは、リラックスしたスタイルで過ごすことが自然を楽しむ一番よい方法だと多くの人が信じています。

　「フリールフツリーヴ」は「野外での暮らし」という意味です。ノルウェーの作家ヘンリク・イプセンの作品で、1850年代に広まりました。

　今、この言葉は、ベリーを摘みに出かけたり、友人と薪で焚くサウナに入ったり、湖のほとりでキャンプをすることなどをさしています。勝敗を競ったり、運動能力の極致を追求したりする単純なエクササイズを超えた、精神的な落ちつきを得られる、古くから愛されてきた余暇の過ごし方といえるでしょう。

　つまり、実際に何かをやるということよりも、まわりの自然に気持ちを集中させ「野生」であることをゆっくりと楽しむ、体とともに心にも栄養を与える時間の過ごし方といえそうです。

Smeuse

smee-ooze　スムーズ

===

British English
イギリス英語　名詞

　小動物が生垣や壁などの間をいつも通り抜けていると、そこに小さなすき間ができます。それを英語では「スムーズ」と呼びます。

　この言葉は、カンブリア語の smoot（石壁の間に作られた、羊を数えるための通り穴）と、中世フランス語の meuse（隠れ場所）が合わさってできたと考えられています。

　ただ、それが擬音語の sssssssqueeeze（キーキー声）と、moussssssse（ネズミ）にも似ているのは、さらに楽しいことです。

　そういうものがあると知ったとたん、なんだか小さな別世界に迷い込むような気持になれる、そんな言葉です。夕方の散歩のとき、いつもの見慣れた眺めに、その小さな出入口がふと目に入ってきます。そして、垣根のあたりで起きているいろいろな大騒ぎが聞こえてきます。

　Smeuse を探してみましょう。運がよければ、飛び出してくる野うさぎや穴うさぎ、水ネズミ、もしくはイタチなどに出会えるかもしれません。

Solvarg

sul-varj　ソールヴァリ

================================

Swedish
スウェーデン語　名詞

　この言葉が意味するのは「太陽の狼」とか「偽りの太陽」、そして科学的には「幻日」と呼ばれる現象です。おぼろげな光が太陽の両側の空に光ることをさしています。ときにはまばゆい白色に光り、赤や青のカラフルな色彩を帯びることもあります。

　この虹のような光の現象は、太陽がちょうど地平線近くにあるときに見られます。大気中の凍った水の結晶が、小さいながら完璧なプリズムとして機能することから生まれると考えられます。

　イギリスからスカンディナヴィア半島に至るまで、この光の玉は猟犬のイメージとともに語られます。それは、北欧神話の中で太陽と月を追って走る2頭の神話上の狼、スコルとハティがもとになっているようです。

Allochthonous

allock-tho-nus　アロクソナス

English
英語　形容詞

　この地学的な言葉「アロクソナス」は、「異なる土」という意味です。生み出された場所から、ときとして信じられないほどの長い距離の旅をしてきた岩や沈殿物をさしています。

　たとえば、膨大な地殻のエネルギーによって隆起して山を形作るものであったり、遠い海を隔てた対岸から、長い年月の間に水に洗われ流れ着いた小さな沈殿物の塊だったりします。もっと詩的に、20世紀の地質学者ジョン・カリノールは、この放浪する岩たちを「遠く旅してきた地面」と呼びました。

　このように岩がはるかな旅をすることは、わたしたちが思いを馳せる世界に違う次元の視点を与えてくれます。どれほど偉大で神秘的な力がはたらき、わたしたちのまわりにある風景が作り出されたのでしょう。そしてそれは、未来にはどんなふうに変化するのでしょう。

Aloha‘Āina

ar-lo-ha eye-ee-nah　アロハ アイナ

Hawaiian
ハワイ語　名詞

　ハワイの神話では、人間は母なる大地と父なる天の間に生まれました。このような自然との母系的な関係性が、「アロハ アイナ（大地への愛情）」というコンセプトの中にこめられています。生命にかかわる感覚は、すべての生き物の内部に互いに絡み合って存在するというこの考え方は、ハワイの人々の中にあるハワイという土地、そしてもっと広大な自然界全体と、政治や宗教、科学、そして社会についての強い思いのもとになっています。

　アロハ アイナはとても複雑な言葉で、命をつなげていくことを助ける自然のはたらきと、とくに深く関係しています。ai は「食べる」という意味で、つまり持続性がそのコンセプトの中心にあります。それは政治、とくにナショナリズムにも組み込まれ、また環境や平和を守ろうとする社会活動、最近では、ハワイの文化の中心で神聖な植物とされる kalo を育てる運動にもつながっています。

Gribnoy dozhd

Грибной дождь

grib-noy dosht グリブノイ ドーシチ

Russian

ロシア語　名詞

「グリブノイ ドーシチ」の最初のしるしは、太陽が雲の間を抜けて高いところから差しているときに降る、霧のようなやさしい天気雨です。

　そんなとき、ロシアの人々の多くは森へ出かけます。この天気は、キノコの収穫時を示すもので、キノコがより早くどんどん育つと考えられています。

　キノコ狩りはロシアの人々にとって、とても身近な営みです。ロシア全土には200種を越す食用のキノコがあります。グリブノイ ドーシチは、キノコ狩りにぴったりのやさしい天気雨という意味だけでなく、森に食べものを集めにいくという、今廃れつつある営みへの懐かしさと恋しさが含まれているのです。

Zhaghzhagh ژغژغ

zaaang-zaaar-gh　ジャグジャグ

===============

Persian
ペルシャ語　名詞

　この言葉は擬音語であるだけではなく、その意味を裏切るような体の活動を表します。

　「ジャグジャグ」は寒さ、または怒りから歯がカチカチ鳴る音ですが、体が震えて歯がカチカチ鳴るのは、つまり冷えた体を温めるための無意識の反応です。

　同時に、この擬音語は木の実がカチカチと鳴る音でもあります。イスラムの神秘主義スーフィ教徒で詩人のルーミーは、この音を彼の叙事詩「マスナヴィー」の中で、「もし胡桃の殻の出す声が美しくなかったなら、誰がその殻の声に耳を傾けるだろうか」と書いています。

訳者あとがき

　シガー・ロスの曲を聴きながら、この本を訳す作業をしました。

　アイスランドのこのバンドについては、90ページのホッピーポットラの項目で紹介されています。森の中を歩くような、幻惑的な音作りをしているオルタナティブ・ロック（ストリーミングのアプリのカテゴライズではこう呼ばれています）のバンド。

　原著者ケイト・ホッジスさんはイギリス人です。イギリスといえば、ガーデニングやアフタヌーン・ティー、ピーターラビットなどが有名ですが、同時に、音楽好きの元少年少女にとっては、古くはアニマルズやビートルズにはじまり、レッド・ツェッペリン、デヴィッド・ボウイ、クイーン、ザ・クラッシュ、セックス・ピストルズなど、今は古典になった数々のロックを生んだ、反抗心旺盛な若者文化を擁する国でもあります。そのひとつの流れが「オルタナティブ」ですが、ホッジスさんのインスタグラムを見ると、彼女の世界観の背景に、このイギリスのロック文化が色濃く映っているのを感じました。その文化に集う人たちの多くは反抗的な外面の後ろに、繊細な純粋さを隠しもっています。ホッジスさんも、その純粋さによって自然を愛し、また自然と人間との関係を憂えているように見えました。この本は、自然がテーマの美しいコンセプトの中に、このような彼女の独特の感性が透明な切れ味を醸し出している詩的な本です。

　日本の暮らしは、奥深い山々や川や海、変化に富んだ豊かな自然に囲まれています。そこで育まれたわたしたちの感性は、おのずと自然を受け入れ、人間を超えたものとして敬う気持ちが無意識にあると思います。それは、最近、世界中から観光客が訪れる日本の伝統文化の中にも色濃く、わたし自身が近年嗜んでいる弓道や剣術などの武道の中にも強く感じられます。弓道で

は、弓を引くのは自分だけれど自分ではない、自然との調和の中で「無心」となり、つまり我を超えて引くことが最高という価値観があります。その結果、的に当たるのもよし、当たらなくてもそれもよしで、それはよく禅の考え方と関連づけて語られます。そんなことから、精神と自然との一体感や、それを心のあるべき姿として言語化するのは、東洋、とくに日本文化に顕著な特徴なのかなとも思っていたのですが、この本を読み終えると、決してそうではないことがよくわかりました。

　たとえば、ノルウェー語のフリールフツリーヴという言葉にこめられた、「勝敗を競ったり、運動能力の極致を追求したりする単純なエクササイズを超えた、精神的な落ちつきを得られる」「まわりの自然に気持ちを集中させ『野生』であることをゆっくりと楽しむ、体とともに心にも栄養を与える」というような考え方は、日本の弓の稽古の中でふだん親しんでいる考え方と同じです。

　雪の種類や海上での現象、さまざまな自然現象に適した言葉が、その現象と親しい言語文化の中に生まれ使われています。精神と自然の一体感が、さまざまな言葉の中に映し出されていると感じました。

　この美しい本を、読者のみなさまと共有できる仕事に携われたことも、森羅万象の中で起きたひとつの現象だと思うと、心から感謝の気持ちでいっぱいです。

前田　まゆみ

【著者紹介】

ケイト・ホッジス

◉──ライター。ウェスト・ミンスター大学でジャーナリズムを学ぶ。卒業後、20年に渡り数々の大手出版社で雑誌記者として活躍し、多数の新聞メディアにも記事を執筆。著書に『世界は女性が変えてきた　夢をつないだ84人の勇者たち』(東京書籍) などがある。

◉──オルタナティブ・ロックのバンドThe Hare and HoofeとYe Nunsで音楽活動も行う。10歳の双子、アーサーとダスティとともにイギリス南東部の町ヘイスティングスに在住。

【イラスト】

ヤン・シオ・マーン

◉──マカオ生まれ。イギリスのUCA芸術大学で修士号を取得。2016年からイラストレーションの仕事をする。地域での芸術プロジェクトやグループ展などの活動のほか、視覚言語の可能性を探りながら単独で出版にも携わる。イギリスおよび中国などで複数の賞を受賞。　.

【訳者紹介】

前田　まゆみ (まえだ・まゆみ)

◉──1964年、神戸市生まれ。京都在住。絵本作家、翻訳家。

◉──神戸女学院大学で英文学を学びながら、デッサンなど絵の基本を学ぶ。1994年ごろから絵本作家として活動。

◉──翻訳絵本にベストセラーとなった『翻訳できない世界のことば』(創元社) のほか、2020年産経児童出版文化賞翻訳作品賞を受賞した『あおいアヒル』(主婦の友社)、『100年の旅』(かんき出版)、著書に『幸せの鍵が見つかる 世界の美しいことば』(創元社)、『野の花えほん 春と夏の花』『野の花えほん 秋と冬の花』(あすなろ書房)、『えほん　般若心経』(春秋社) などがある。

世界の不思議な自然のことば

2024年3月4日　　第1刷発行

著　者——ケイト・ホッジス
訳　者——前田　まゆみ
発行者——齊藤　龍男
発行所——株式会社かんき出版
　　　　　東京都千代田区麴町4-1-4 西脇ビル　〒102-0083
　　　　　電話　営業部：03(3262)8011代　編集部：03(3262)8012代
　　　　　FAX　03(3234)4421　　　　　　振替　00100-2-62304
　　　　　https://kanki-pub.co.jp
印刷所——ベクトル印刷株式会社